# Défi
# de
# filles

Illustrations : Lumone

© Lito, 2008
ISBN 978-2-244-44133-7

www.editionslito.com

Défi
de
filles

À **toi** de devenir
AVENTURIÈRE

Michel Amelin

Éditions Lito

# Règle du jeu

◗ L'héroïne de ce livre, c'est toi !
Mais qui es-tu ? À quoi ressembles-tu ?
Quels sont tes goûts, tes envies, tes idées ?
Il est important de savoir qui est
le personnage principal d'une histoire !
Tout d'abord, remplis la fiche de renseignements
pour personnaliser ton livre.
Ça y est ?

◗ Maintenant, mets-toi dans la peau d'une
aventurière, et commence ta lecture, chapitre 1.
Tu ne déjoueras pas tous les pièges tendus
par les rebelles du Sougo en un instant ;
c'est à toi de décider du déroulement de l'histoire !
Quatre compagnons peuvent t'accompagner
dans cette grande aventure ; mais un seul
te mènera à la victoire !
Trouve la bonne personne, celle qui t'aidera
tout au long de ton parcours, fais les bons choix,
pour arriver à la victoire et enfin devenir
une aventurière digne de ce nom !

À LA FIN DE CHAQUE CHAPITRE,
PLUSIEURS POSSIBILITÉS.
CHOISIS LA MEILLEURE OPTION ET DIRIGE-TOI
VERS LE CHAPITRE INDIQUÉ.

❷ Si tu te trompes, pas de souci, tu as toujours la possibilité de revenir en arrière, et de choisir une autre voie.
Attention cependant, il n'y a qu'une seule branche gagnante !

❷ À la fin de ce livre, tu trouveras des pages de notes. Inscris-y ton parcours, au fur et à mesure. Comme ça, si tu ne gagnes pas du premier coup, tu pourras recommencer sans faire les mêmes erreurs !

❷ Quand tu auras enfin rendu le diamant rose au président du Sougo, que tu seras une vraie aventurière, fais un dernier test, à la fin du livre, pour savoir comment tu réagis face à l'inconnu...

Tu as tout bien compris ?
Alors vas-y, c'est ton tour !
**Bonne chance !**

# Fiche perso

## C'est toi l'héroïne de cette histoire.
## Mais qui es-tu vraiment ?

JE M'APPELLE _____

MAIS MON PSEUDO C'EST _____

MON ÂGE _____

JE SUIS NÉE LE _____

MON SIGNE ASTROLOGIQUE _____

J'HABITE _____

MES CHEVEUX SONT _____

MES YEUX SONT _____

JE MESURE _____

SIGNES PARTICULIERS _____

MA FAMILLE _____

MA CLASSE, CETTE ANNÉE _____

MA MEILLEURE AMIE _____

Colle ici
ta photo !

ET MON MEILLEUR AMI

MA PRINCIPALE QUALITÉ

ET MON PRINCIPAL DÉFAUT

MA DEVISE

PLUS TARD, JE M'IMAGINE

MES LOISIRS

MON FILM PRÉFÉRÉ

MON GROUPE PRÉFÉRÉ

MA CHANSON PRÉFÉRÉE

MON LIVRE PRÉFÉRÉ

MON ACTEUR PRÉFÉRÉ

MA COULEUR PRÉFÉRÉE

MON DESSERT PRÉFÉRÉ

MA PIZZA PRÉFÉRÉE

MES MEILLEURES VACANCES

— Vite ! râle ton père alors que la fièvre le cloue au lit. Prends ça !

Tu t'approches du lit. Tu es en sueur. Mais toi, tu n'es pas victime du paludisme ! Ton père alterne les crises de délire et les moments de conscience. Vous êtes réfugiés dans une chambre miteuse du seul hôtel de Mbwaba. Le gros ventilateur du plafond ne fonctionne pas et des cafards courent partout. La main tremblante de ton père tend une boule d'un blanc sale. Tu retiens ta respiration en la prenant délicatement. Qu'est-ce que c'est ?

— C'est le diamant, souffle ton père. Prends-le !

Le diamant !

Il est entouré d'un mouchoir d'une saleté repoussante. Tu le déplies lentement.

*Va chapitre II.*

# 2

Tu entends crier dans l'hôtel mais tu n'oses pas relever les yeux. Pourvu que les soldats qui se trouvent à l'étage ne t'aperçoivent pas ! Tu te mords les lèvres. À cet instant, tu vois que tu n'es pas seule. Sous le camion, un garçon noir est allongé. Il te regarde et met un doigt sur sa bouche pour t'intimer le silence. Tu te recroquevilles dans l'ombre du camion. Le garçon te fait signe de le rejoindre. Après une hésitation, tu lui obéis. Et à ton tour, tu t'allonges dans la poussière à ses côtés.

– Ils te cherchent ? demande le garçon.

Tu hoches la tête, muette de peur.

– Reste avec moi. Tu ne crains rien. Je connais les soldats, ce sont des crétins.

Au même moment, tu entends une rafale de mitraillette.

*Va chapitre* **17**.

Tu préfères ne rien dire à cet inconnu :

– Je ne sais pas de quoi vous voulez parler.

– Menteuse ! répond-il en se tournant vivement vers toi. Il te l'a donné ! J'en suis certain !

Cette seconde d'inattention lui est fatale. Un autobus barre soudain la route au 4 x 4 et vous lui rentrez dedans !

Tu es projetée en avant tandis que l'homme se cogne le front contre le pare-brise. Le 4 x 4 est immobilisé, le moteur vrombissant. Tu as le temps de voir des visages épouvantés se montrer aux vitres sales de l'autobus. C'est le moment ou jamais !

*Tu sautes du 4 x 4 et tu t'enfuis ? Va chapitre 27.*

*Tu restes dans le 4 x 4 ? Va chapitre 33.*

Tu te rues hors de la chambre. Des hommes en armes arrivent dans l'escalier. Tu n'as que le temps de bondir et d'ouvrir au hasard une porte qui donne sur une vieille échelle d'incendie. Tu la dégringoles, tu sautes sur le toit d'une masure, puis tu te laisses tomber derrière un camion.

Là, tu t'accroupis, haletante, dans la poussière.

C'est ici que ton destin va se jouer. Quatre personnes peuvent te surprendre, une seule te conduira à la victoire. Choisis le bon guide pour ton aventure :

*Un garçon africain de ton âge ? Va chapitre* **2**.
*Une fille en scooter ? Va chapitre* **15**.
*Une vieille femme africaine ? Va chapitre* **6**.
*Un client américain de l'hôtel ? Va chapitre* **21**.

— Qu'as-tu fait pour mériter dix mille wuoros ? te demande le garçon. Tu as assassiné un ministre ?

Les soldats semblent s'être éloignés. Le garçon te fixe intensément. Le diamant s'enfonce dans la chair de ta cuisse. Tu changes de position.

— Ne bouge pas ! commande le garçon.

Soudain, tu te méfies. Il représente un danger lui aussi. Tu ne dois plus faire confiance à personne. Ce que tu transportes vaut trop cher ! Si tu te débrouilles bien, peut-être pourras-tu acheter la vie de ton père !

*Tu décides de sortir, seule, de sous le camion ! Va chapitre 30.*

*Tu décides de rester sous le camion avec le garçon... Va chapitre 25.*

Tu es cachée derrière le camion et tu te demandes comment éviter de te faire capturer. Que va-t-il arriver à ton père ? Tu es morte d'angoisse. Tu touches le diamant dans ta poche. Et si tu le cachais, maintenant ? Sous ce camion, par exemple ! Mais comment le récupérer après ? Tu mords ton poing, tu ne sais pas quoi faire. Si seulement tu avais une arme, peut-être pourrais-tu piéger les soldats et sauver ton père. Non, impossible ! Tu es trop jeune, trop inexpérimentée. Soudain, alors que tu te recroquevilles contre la roue arrière du camion, tu entends un petit sifflement. Tu tournes la tête : c'est une vieille femme à la fenêtre de la masure sur laquelle tu t'es laissée tomber. Elle te fait signe de la rejoindre. Tu hésites.

*Va chapitre **35**.*

# 7

Vous roulez en scooter pendant quelques kilomètres. La fille fait des tours et des détours. Enfin, elle s'arrête dans un endroit à la lisière de la ville, enlève son casque, secoue ses cheveux blonds et te sourit :

– Salut, je m'appelle Charline, je suis la fille du plus gros concessionnaire *Cycles et Motos* de la ville. Je suis coursière pour mon père. Je transporte des colis et des lettres. Je t'ai vue en difficulté.

– Merci, tu m'as sans doute sauvé la vie.

– Qu'est-ce qui s'est passé ? Tu semblais en mauvaise posture...

*Tu lui racontes tout ? Va chapitre **32**.*
*Tu refuses de te confier ? Va chapitre **18**.*

**8**

Haletante, tu as un goût de sang dans la bouche. Peut-être es-tu blessée ? Non, il n'y a pas de sang sur toi. Mais tu dois courir pour sauver ta peau ! Hélas, il reste beaucoup de gens qui te poursuivent. Ils hurlent en faisant de grands gestes, demandant aux passants de te barrer le passage et de te capturer.

Tu obliques dans une ruelle, tu traverses une cour pleine de cochons. Des chiens aboient. Où trouver un refuge ? Tu avises un tas de détritus amoncelés dans le fond d'une courette. Un matelas pourri est jeté en travers. Sans réfléchir, tu te précipites dessous.

Tu t'enfonces dans une masse spongieuse et puante tandis que tu tires le vieux matelas sur toi. La foule arrive...

*Va chapitre* **46**.

# 9

Le garçon sort un pain de plastic et un boîtier de son sac. Il enfonce le pain sous le châssis avant. Tu es terrorisée.

Il appuie ensuite sur un bouton. Les diodes lumineuses du boîtier clignotent. C'est un détonateur, qu'il coince contre le plastic !

– Partons, vite ! commande le garçon.

Tu ne le fais pas répéter. Vous sortez de votre cachette après vous être assurés que la voie est libre. Le garçon t'entraîne dans un coin d'ombre. Tu vois les soldats au bout de la rue. Ils s'interpellent puis font demi-tour.

– Tirons-nous ! dit le garçon. Dans cinq minutes, ça va sauter. J'espère seulement qu'ils seront tous dedans.

*Tu t'enfuis chapitre* **40**.

Tu ne demandes pas ton reste. C'est vrai que cette femme t'a sauvée mais que peut-elle de plus pour toi ? Rien ! Ta décision est prise, tu ne veux pas la mettre en danger. Tu dois te débrouiller seule !

Tu cours vers la petite fenêtre et, d'un bond, tu sautes par-dessus le rebord et tu retombes de l'autre côté dans une courette poussiéreuse où s'ébattent quelques poules maigres comme des clous. Les poules s'échappent en caquetant. Tu entends la vieille femme t'appeler mais tu ne l'attends pas. Tu cours droit devant toi... et tu te prends les pieds dans du fil barbelé.

Tu tombes de tout ton poids et tu sens, sous le choc, le diamant te rentrer dans la cuisse.

*Va chapitre **26**.*

C'est le diamant rose de la reine Glabah ! Dans ta paume, il semble peser plus lourd que ses cent grammes. Ton père t'a si souvent raconté son histoire que tu la connais par cœur. Il a été découvert en 1900 dans une mine inconnue du Sougo voisin. Il fut taillé grossièrement par un missionnaire qui avait été diamantaire à Anvers. Celui-ci l'offrit à la reine Glabah. Le diamant rose fut volé lors des funérailles de la reine par la tribu owu du pays Mbwala. Dans ta main, il resplendit de mille feux.

Que vas-tu en faire ?

*Va vite chapitre **36**.*

# 12

La chambre de Charline, décorée d'objets africains et indiens, est située au-dessus de la concession *Cycles et Motos* de son père.

— Je vais te chercher quelque chose à boire, dit-elle.

Tu te laisses tomber sur son lit couvert de satin rose. Quelle superbe cachette ! C'est ton ange gardien qui a mis Charline sur ton chemin. La jeune fille revient avec deux cocktails aux fruits décorés de petits parasols et d'une tranche de citron coincée sur le bord des verres. Vous trinquez.

— J'ai l'impression de vivre un rêve, murmures-tu. C'est incroyable de penser qu'il y a une heure à peine je fuyais les soldats.

— Tu es à l'abri, ici. Personne ne te retrouvera, répond ta nouvelle amie.

*Va chapitre* **48**.

Tu contournes la maison en courant et tu pénètres dans une autre ruelle où des marchands sont occupés à chasser les mouches. Ils t'interpellent. Tu es repérée maintenant. Tous ces gens savent que les soldats recherchent une fille européenne. Tu ne passes pas inaperçue. Sans doute, certains marchands possèdent-ils un téléphone portable ?

Une main vient se poser sur ton épaule ! Tu sursautes.

C'est le garçon qui était sous le camion avec toi. Il t'a rejointe.

– Viens par là ! te dit-il en indiquant une porte noire.

*Tu lui obéis ? Va chapitre* **43**.
*Tu te dégages et tu t'enfuis ? Va chapitre* **53**.

Non, tu ne vas pas t'enfuir comme une voleuse. Cette vieille femme a risqué sa vie pour te sauver des soldats. Tu t'approches d'elle et tu poses une main sur son épaule :

– Merci pour ce que vous avez fait alors que vous ne me connaissiez pas.

– Je te connais un peu, répond la vieille femme. Je t'ai vue avec le professeur quand tu entrais et sortais de l'hôtel. Il n'y a pas beaucoup de jeunes blanches dans notre quartier.

– Je dois aller à Sougoville.

– C'est loin et il y a des barrages de police. Qu'est-ce que tu veux faire là-bas ?

– Des gens importants sauveront mon père qui vient d'être enlevé par les soldats.

La vieille femme sourit :

– Tu as de l'argent ?

*Va chapitre **88**.*

# 15

Les soldats se sont dispersés à ta recherche. Ils se déplacent rapidement, les yeux aux aguets, leur arme braquée. Comment parviendras-tu à leur échapper, toi, simple jeune fille ? Tu contournes le camion derrière lequel tu t'es cachée. Que faire du diamant ? Comment t'enfuir sans te faire remarquer ? Et si tu te glissais sous le camion ? Tu t'agenouilles quand, soudain, tu vois un deux-roues se garer à côté de toi. Une tête casquée se penche.

Tu retiens ta respiration.

– On dirait que tu as des ennuis ! dit une voix jeune. Si tu veux sauver ta peau, sors d'ici et grimpe sur mon scoot.

Que faire ?

*Va chapitre* **20**.

# 16

Mieux vaut prendre des précautions. Pour l'instant, ce 4 x 4 constitue la meilleure des cachettes. Toujours recroquevillée sous le tableau de bord, alors que les tirs continuent, tu sors rapidement le diamant de ta poche et l'enfonces entre l'assise et le dossier du siège. Le conducteur n'a pas pu te voir, trop occupé à éviter les rafales. Le véhicule fonce dans la ville désertée par sa population. Tout le monde se cache quand les militaires nerveux sont de sortie !

— Nous arrivons ! lance le gros Américain.

Tu vois soudain les bâtiments blancs de l'ambassade. Seras-tu à l'abri dans quelques instants ?

*Va chapitre **28**.*

# 17

Tu gémis :

– Mon père ! Ils l'ont tué !

Le garçon te serre la main :

– Je suis sûr qu'il va s'en sortir. Mais qu'est-ce que tu fais ici, toi, une Blanche ?

– Mon père est un archéologue spécialiste du Sougo...

Tu préfères ne pas parler du diamant rose de la reine Glabah. Tu l'as glissé dans ta poche et il te fait mal à la cuisse. Ta bouche est pleine de poussière. Combien de temps vas-tu rester ici ?

Les soldats sortent de l'hôtel. Ils transportent une civière sur laquelle gît ton père. Ils la chargent dans un fourgon militaire.

– Tu vois ? souffle le garçon à tes côtés. Il n'est pas mort.

*Va chapitre **22**.*

— Mon père était recherché par les militaires, suite à une histoire de fouilles.

— C'est un archéologue qui fait du trafic ?

— Pas du tout ! Il faut que je trouve une planque avant d'aller à Sougoville prévenir les autorités diplomatiques.

— Whaou ! C'est impressionnant. On va jouer les espionnes, alors ?

— Dis-moi juste où je peux me cacher.

— Je te ramène chez moi. On dira à tout le monde que tu es ma cousine germaine venue en visite.

— Et tes parents ?

— Ils t'aideront, comme moi. Ils détestent ce régime politique.

*Va chapitre* **45**.

Un camion militaire et une Jeep se mettent en travers de la route pour bloquer le 4 x 4. Celui-ci les contourne. Des rafales de mitraillettes crépitent.

– Baisse-toi ! te crie le chauffeur.

Tu t'affales devant ton siège tandis que des impacts trouent le pare-brise arrière. Les balles sifflent au-dessus de ta tête et viennent se ficher dans la boîte à gants et dans le pare-brise avant.

– J'avais demandé un 4 x 4 blindé ! hurle l'homme couché sur son volant. Quel gouvernement radin !

*Et si tu cachais ton diamant sous le fauteuil ? Va chapitre 16.*

*Non, tu y renonces, tu préfères le garder dans ta poche ? Va chapitre 47.*

# 20

Tu tournes lentement la tête pour tenter de voir les yeux à travers la visière. C'est une fille de ton âge. Une Blanche ! Qu'est-ce qu'elle fiche ici ?

– Pan ? dit-elle. Pan ? Pan ? Réfléchis vite et bien, ma poule. Dans moins d'une minute, tu vas ressembler à une perdrix à la fin de la chasse.

Elle fait vrombir son moteur.

Tu secoues la tête. Tu as la bouche sèche. Instinctivement, tu touches le diamant à travers ta poche. Tu te décides brusquement. En un éclair, tu sors de sous le camion et grimpes sur la selle, juste derrière la fille mystérieuse. Elle met les gaz et tourne dans la première rue.

*Va chapitre **7**.*

## 21

Alors que tu es couchée sous le camion, une main blanche se tend vers toi.

– Sortez de là ! te commande une voix à l'accent américain. Vite !

Tu saisis la main et tu es tirée sans ménagement hors de ta cachette. L'homme est un Blanc bien habillé dont la tête est coiffée d'un panama. Il t'entraîne rapidement vers un gros 4 x 4 garé au coin de la rue. Il te jette à l'intérieur, grimpe sur le siège du conducteur et démarre rapidement. Tu as juste le temps de voir les soldats sortir de l'hôtel. Ils s'agitent au milieu de la route en brandissant leurs mitraillettes. L'homme braque à fond, le 4 x 4 fait demi-tour dans un crissement de pneus et fonce dans une petite rue.

*Va chapitre 59.*

# 22

Le fourgon attend. Les soldats se déploient dans la rue, mitraillettes brandies. On entend encore des cris dans l'hôtel. Le garçon t'aplatit dans la poussière. Les grosses chaussures passent à moins de cinquante centimètres de vous. Si les soldats ont l'idée de se pencher sous le camion, tu es fichue !

Tu respires à peine. Tu es morte de trouille. Le garçon reste calme et cela te fait du bien de le sentir à tes côtés. Tu as de la chance d'avoir trouvé par hasard un tel compagnon. Il semble connaître tous les secrets de la guerre.

— Elle ne doit pas être loin ! lance le chef des soldats. Dix mille wuoros pour celui qui la retrouve vivante.

— Et si on la retrouve morte ?

*Va vite chapitre **5** !*

# 23

– Je dois le remettre au président de la nouvelle république du Sougo ! lances-tu alors que le conducteur du 4 x 4 braque vivement dans une succession de petites ruelles.

– Nous verrons cela quand nous serons arrivés à l'ambassade. Pour l'instant, donne-le moi !

Tout en conduisant, il tend la main droite pour recevoir ton cadeau.

– Non. Je veux le garder sur moi ! hurles-tu. Je veux que vous me promettiez d'abord de sauver mon père.

– Donne-moi ce diamant !

Il te flanque une gifle.

*Tu lui donnes le diamant ? Va chapitre* **61**.
*Tu continues de refuser ? Va chapitre* **38**.

# 24

Dans la pénombre du dépôt, tu sens le beau Wilfried trembler à tes côtés.

– Et ton père ? souffle-t-il. Que va-t-il lui arriver ?

– Ce n'est pas mon père ! C'est un collègue, un agent qui a raté sa mission. La France va peut-être lui envoyer une équipe.

– Tu... es très courageuse, dit-il en te caressant le bras.

Charline et son père s'arrêtent devant une moto déjà installée dans une grande caisse de bois.

– Celle-là part demain pour Sougoville.

– Bon, lances-tu. Vous enlevez la moto et je me mets à la place, avec un peu de provisions et deux bouteilles d'eau. Une pleine pour boire, une vide pour faire pipi dedans.

*Va chapitre **62**.*

Les minutes passent. Le garçon ne bouge toujours pas.

– Qu'est-ce que tu as fait pour qu'ils te recherchent ? demandes-tu.

– Ils me connaissent. Ils ont tué mes parents et maintenant ils veulent me tuer moi. Je fais partie des révolutionnaires du Mbwaba.

– Toi ? Si jeune ?

– Il n'y a pas d'âge pour être révolution-naire. Nous sommes sous leur camion.

– Leur camion !? Mais alors, ils vont remonter dedans et...

Le garçon sourit et attrape son sac.

– Qu'est-ce que tu as là-dedans ?

– Une bombe, répond-il.

*Va vite chapitre **9**.*

# 26

La vieille femme est sortie de sa masure. Elle a posé une main ridée sur ton épaule :

– Calme-toi. Ce n'est pas le moment avec les soldats qui traînent dans le coin.

Tu regardes ta cheville en sang.

– Rentre !

Tu lui obéis en traînant la jambe. Comme tu as mal ! La vieille femme t'indique le tabouret et tu te laisses tomber dessus. Elle prend un chiffon et essuie ta plaie après avoir craché dessus. Bonjour les microbes ! Elle se relève et pose la main sur ton front. Elle murmure des mots incompréhensibles en fermant les yeux. Tu es tombée sur une sorcière !

*Tu la pousses en arrière et t'enfuis une nouvelle fois ? Va chapitre **42**.*

*Tu acceptes son étrange prière ? Va chapitre **51**.*

# 27

Profitant que le conducteur est encore étourdi par le choc, tu ouvres la porte du 4 x 4 et tu sautes du véhicule. Une foule entoure déjà le lieu de l'accident. Les gens essaient de te retenir mais tu te débats, tu mords des mains, tu hurles et tu parviens à t'enfuir. Tu cours, tu cours alors qu'une affreuse rumeur monte derrière toi. Tu tournes la tête : la foule te poursuit !

Jamais tu n'es allée aussi vite. Mais comment parviendras-tu à semer ces centaines de gens qui courent certainement après une belle récompense ? « Cette fille doit être blessée. C'est un personnage important. Elle est témoin. Elle est certainement très riche ! Il faut la remettre aux autorités ! »

Voilà pourquoi la foule est après toi.

*Fonce chapitre* **8**.

# 28

L'ambassade est fermée par de hautes grilles gardées. Ton conducteur aura-t-il le temps de passer, avant que les soldats qui vous poursuivent vous anéantissent ?

Le 4 x 4 bondit. Un tir de roquette l'arrête net ! Dans un nuage de fumée, tu distingues le moteur éclaté et les roues disloquées.

– Dépêche-toi ! hurle le chauffeur.

Il ouvre sa porte et saute à l'extérieur. De l'autre côté de la rue, les gardiens américains s'affairent. Ils ont déjà relevé leurs barrières pour vous permettre d'entrer plus vite dans le refuge.

Il faut que tu récupères le diamant que tu as caché sous ton dossier !

*Va chapitre **57**.*

# 29

Voilà, tu leur as tout raconté. Tandis que la mère de Charline va donner des ordres à la domestique dans la cuisine, le père, le frère et Charline te consolent de tes malheurs.

Dix minutes plus tard, alors que tu finis ton ananas, on frappe à la porte.

Une demi-douzaine d'hommes patibulaires entrent. C'est sûrement la mère qui leur a téléphoné tout à l'heure !

– Je ne veux pas d'ennuis, jeune fille, explique le père. Et il y a la récompense...

Tu cherches de l'aide auprès de Charline et de son frère mais ils détournent les yeux.

Tu as PERDU !

*Et si tu avais inventé une histoire, chapitre **55** ?*

*Tu aurais aussi pu montrer le diamant à Charline, chapitre **32**.*

*Sinon, change de compagnon, chapitre **4**.*

— Qu'est-ce que tu fais ? s'énerve le garçon. Tu vas te faire descendre !

Tu te débats et, comme il s'acharne à te retenir, tu lui flanques des coups au hasard. L'un d'eux semble porter car il se plie en deux en gémissant de douleur. Tu te traînes alors sur les coudes et, prudemment, tu sors au niveau du pare-chocs avant.

Personne ! La rue de Mbwaba s'étend devant toi, écrasée sous la chaleur et la luminosité de ce début d'après-midi.

Tu te redresses vivement et tu cours jusqu'à un coin de maison dont le toit projette une ombre. Il faut que tu gagnes la gare. C'est le seul moyen pour atteindre Sougoville, la capitale !

*Va chapitre* **13**.

La porte s'ouvre à cet instant. Tu entends la vieille femme crier tandis que deux soldats envahissent la pièce. Ils posent des questions, la vieille femme répond en les traitant d'assassins. Les soldats rient. Ils balancent un coup de pied contre le gros panier dans lequel tu te caches. Le panier se renverse et tu roules en retenant les habits qui te couvrent. Ouf ! Les soldats ne t'ont pas vue. Ils ressortent après avoir fouillé rapidement la masure. La vieille femme les injurie toujours et leur montre le poing. Les soldats disparaissent. Tu sors de ta cachette. Il y a une petite fenêtre à moins d'un mètre.

*Tu t'enfuis par cette fenêtre ? Va chapitre 10.*
*Tu vas vers la vieille femme qui pleure sur un tabouret ? Va chapitre 14.*

Il n'y a pas d'autre solution. Il faut tout lui avouer. Tu sors le mouchoir en boule de ta poche, tu le déplies pour montrer le diamant rose à la fille en scooter.

– Ils me poursuivent pour mettre la main sur ça !

– Qu'est-ce que c'est ?

– L'un des plus gros diamants du monde ! Le diamant rose de la reine Glabah. Mon père est sur sa piste depuis des années. Maintenant que mon père est capturé, je dois le donner au président de la nouvelle république du Sougo.

– Whaou ! Il y en a pour des milliers de wuoros.

– Disons des millions. Bon, est-ce que tu peux m'aider ?

*Va chapitre* **54**.

# 33

Une foule entoure déjà le lieu de l'accident. L'Américain se ressaisit. Il enclenche la marche arrière et le 4 x 4 fait un bond en arrachant une grande plaque du flanc de l'autobus. La foule recule. Le 4 x 4 vrombit et fonce. La plaque se détache et valse dans la vitrine d'un coiffeur. Le moteur fait un drôle de bruit mais il fonctionne encore. Un nuage de vapeur s'échappe du capot. Tu te cramponnes aux poignées, morte de peur.

– On fonce à l'ambassade ! Même un tank ne m'arrêtera pas ! Le diamant rose de la reine Glabah vaut bien cela, n'est-ce pas ?

Tu ne réponds pas.

*Va chapitre* **19**.

# 34

Tu relèves la tête. Le garçon a disparu. Des sirènes retentissent, les gens courent partout. Personne ne semble prêter attention à toi. Tu t'agenouilles pour reprendre ta respiration. Tu as plusieurs milliers de wuoros dans ta poche. Un taxi ! Si seulement il y avait un taxi dans ce maudit pays !

Tu te remets debout et te diriges en titubant vers une marchande d'étoffes :

– Taxi... taxi...

La femme te montre le coin de la rue et tu te précipites dans cette direction. Il y a en effet une vieille guimbarde stationnée là. Le mot « taxi » est peint sur sa portière.

Tu sors un billet de ta poche et fonces droit sur le chauffeur, un type coiffé d'une casquette sale.

*Va chapitre* **50**.

# 35

Les soldats sortent de l'hôtel en hurlant. Ils tirent en l'air. Deux hommes transportent ton père sur un brancard. Il est fichu ! Ils l'emmènent ! Ils vont le torturer ! Quelle rage ! Il n'y a pas un instant à perdre : dans quelques secondes les soldats vont fouiller les alentours à ta recherche. Car ils savent que tu possèdes le diamant rose.

La vieille femme a disparu de la fenêtre mais tu sais qu'elle t'observe toujours. Arc-boutée, tu trottines derrière le camion. Une affreuse porte de bois peint s'ouvre en grinçant. Tu te précipites dans la gueule noire de la masure. Sans un mot, la femme te montre du doigt un grand panier. Tu t'y caches. Elle jette des vêtements sur toi.

*Va chapitre **31**.*

# 36

– Je l'ai cherché toute ma vie, murmure ton père. Et je l'ai retrouvé ! C'est un diamant de cinq cents carats, l'un des plus gros du monde, et il vaut des dizaines de millions d'euros. Mais il n'est pas à moi. Il appartient à la nouvelle république du Sougo. Tu dois le remettre au président, ma chérie ! Ma mission est la tienne, désormais.

Tu te jettes à genoux près du lit :

– Papa !

Il ferme les yeux, ses lèvres tremblent :

– Va-t'en ! Vite, avant qu'ils n'arrivent !

Tu entends des cris et des coups. Un hurlement retentit dans le couloir de l'hôtel.

*Va vite chapitre* **4**.

# 37

Non. Tu ne dois pas bouger. Cette cachette est parfaite. Personne n'aura l'idée de te chercher là. Les minutes s'égrènent, puis les heures. Tu te fais la plus petite possible dans ton tas d'ordures. Des cris, des cavalcades te prouvent que l'on te recherche toujours mais, miraculeusement, personne n'a l'idée de fouiller sous ce matelas qui est là depuis la nuit des temps.

Alors que la nuit tombe d'un seul coup et que l'animation diminue, tu décides de sortir de ta cachette à la faveur de l'ombre. Tu cours le long des murs, sautant de coin en coin. Où aller ? Tu ne connais pas Mbwaba. Comment faire pour aller jusqu'à Sougoville, la capitale ?

*Va chapitre* **60**.

# 38

Tu veux sauter en marche.

– Ne fais pas l'idiote ! lance l'homme. J'ai tout verrouillé. Donne-moi ce diamant !

– Arrêtez ! Laissez-moi partir !

Il te frappe à nouveau.

Tu lui attrapes la main et la mords jusqu'au sang. Le conducteur pousse un hurlement de douleur. Tu bondis sur lui et tu arraches la clé du tableau de bord. Le moteur du 4 x 4 pousse un rugissement car l'homme s'est emmêlé dans les pédales, puis il s'arrête brusquement. Le véhicule, moteur coupé, fonce sans un bruit sur une maison.

*Va chapitre **72**.*

# 39

Une domestique entre dans le luxueux appartement que le président t'a accordé et annonce que ton père est arrivé. Tu dégringoles les marches de ton jardin en terrasses et tu te précipites dans la cour d'honneur. Ton père descend d'une grande limousine blanche. Il a été libéré sans aucun problème ! Tu cours vers lui en pleurant, passant avant les officiels qui s'avancent aussi, respectueux, avec le diamant retrouvé, posé sur un coussin de velours rouge. Ton père sourit. Tu te jettes dans ses bras.

– Je savais que tu allais réussir, ma chérie. Voilà tout un peuple qui te remercie.

Les ministres applaudissent, et même le président ! Tu as GAGNÉ !

*Pour connaître le Destin que tu aurais eu avec d'autres compagnons, va chapitre 4.*

Vous courez tous les deux dans une rue lorsqu'une explosion fait vibrer les murs. Tu te jettes sur le sol. Un nuage de fumée noire bouillonne au-dessus des masures. Les gens crient. Le garçon fait demi-tour et t'agrippe le bras :

– Cours ! Cours !

Tu te relèves, terrifiée. Les soldats sont-ils tous morts ? Où est ton père ? Comment vas-tu sortir de ce bourbier ?

Le garçon est déjà loin... Quant à toi, la peur te paralyse.

*Tu laisses partir le garçon ? Va chapitre* **34**.

*Tu choisis d'appeler le garçon au secours ? Va chapitre* **44**.

# 40

— Cet homme est mon neveu, dit la vieille femme. Il est très gentil et serviable. Il conduit un camion qui va chaque jour à Sougoville. Si tu lui donnes tes mille wuoros, il te cachera sous sa marchandise et te fera passer les barrages.

L'homme qui se tient devant toi, le visage couturé de cicatrices, n'a pas du tout l'air gentil ni serviable.

— Allez ! insiste la vieille femme. Donne-lui ton argent. Il te conduira là-bas.

Tu te retournes. Deux adolescents au regard mauvais te barrent la route. Que dois-tu faire ?

*Tu sors ton argent ? Va chapitre **66**.*

*Tu boxes les adolescents pour pouvoir t'enfuir ? Va chapitre **52**.*

# 42

Tu es tombée sur une sorcière qui t'envoûte ! Si tu ne réagis pas, dans moins d'une minute, elle aura fait de toi un jouet sans volonté, une servante pour la vie. Les sorcières qui utilisent le vaudou sont redoutables. Tu repousses la vieille femme avec les deux mains. Elle hurle et bascule en arrière. Tu l'enjambes et te précipites vers la porte. Mieux vaut affronter les soldats que cette sorte de monstre !

Tu sors. La vieille femme crie derrière toi. Tu cours comme une dératée. Où aller ? Que faire ? Comment sauver le diamant et ton père qui vient d'être enlevé ? Ta cheville blessée par les barbelés se remet soudain à saigner.

*Va chapitre 65.*

# 43

Il faut que tu fasses confiance à ce garçon inconnu ! Tu obéis. Il te pousse vers la porte noire.

Tu tombes sur le sol. Il y a là une table et trois hommes assis sur un banc.

— La voilà ! crie le garçon.

C'était un piège !

— Très bien, dit le chef des soldats. Fouillez-la et trouvez-moi le diamant.

— Et mes dix mille wuoros ? réclame le garçon.

Une mitraillette se lève lentement...

Tu as PERDU !

*Si tu avais refusé de passer la porte noire ? Va chapitre 53.*

*Si tu étais restée sous le camion ? Va chapitre 25.*

*Si tu changeais de guide ? Va chapitre 4.*

Tu retrouves assez de souffle pour appeler au secours. Le garçon revient et te charge sur son dos comme un vulgaire ballot de linge. Bientôt, il te jette sur le sol en terre battue d'une maison sombre pauvrement meublée.

– Il faut la cacher, dit le garçon.

– Qui est-ce ? demande une voix. On ne veut pas d'ennuis.

– Elle est recherchée. Son père est archéologue. Ils l'ont emmené dans un fourgon militaire.

Tu ouvres les yeux. Un Noir énorme, vêtu d'un costume traditionnel, te contemple froidement :

– Ce ne serait pas la fille du type qui a volé le diamant rose de la reine Glabah ?

*Va chapitre **56** pour la suite.*

# 45

Charline habite un appartement luxueux au-dessus de la concession *Cycles et Motos* de son père. Wilfried, son frère, est beau comme un dieu. Après un bon bain, tu t'habilles avec des vêtements prêtés par ta nouvelle amie. Tu prends place à la table familiale.

– Vous êtes si gentils. Je ne sais pas comment vous remercier, bégayes-tu.

– Et si tu nous disais vraiment la vérité ? demande le père de Charline.

C'est le moment ! Ils savent bien qu'une fille comme toi ne peut pas être en danger sans un motif très important. Que dois-tu faire ?

*Raconter la vérité ? Va chapitre 29.*
*Inventer une histoire ? Va chapitre 55.*

# 46

La foule est passée et personne ne s'est arrêté pour regarder sous le matelas. Tu reprends des forces en tâtant le diamant à travers ta poche. Tu penses à ton père. Où est-il en ce moment ? Que lui font-ils ? Les soldats ont dû donner l'alerte. Les patrouilles savent maintenant que tu étais dans le 4 x 4. Elles ne vont pas tarder à venir ici. C'est maintenant que tu dois sortir de ta cachette car, dans quelques minutes, les premiers poursuivants vont se rendre compte que tu n'es plus devant eux. Ils vont revenir sur leurs pas. Mais si tu sors tout de suite, tu vas tomber sur les retardataires, qui vont prévenir les autres. Que faire ?

*Tu sors de ta cachette ? Va chapitre **58**.*
*Tu restes dans ta cachette ? Va chapitre **37**.*

# 47

Tu ne dois pas cacher le diamant dans le 4 x 4. Il vaut mieux que tu le gardes sur toi. Le pare-brise est en miettes, tout comme la lunette arrière. L'homme fonce. Il conduit bien et parvient à distancer les poursuivants.

— Alors, ce diamant ? te demande-t-il en tournant vivement la tête vers toi.

— Je sais où il est. Mon père me l'a confié avant d'être fait prisonnier par les soldats. Si vous m'aidez, nous partagerons la récompense.

— Je ne crois pas que tu aies le choix, ma petite chérie, te répond l'homme au panama. Je te sauve la vie, en ce moment. Cela n'a pas de prix. Et mon gouvernement veut le diamant. Tu comprends ?

*Va chapitre* **23**.

# 48

Mais alors que tu racontes ta vie à Charline, tu vois son image se troubler. Tes paupières deviennent lourdes. La fatigue te terrasse.

— Qu'est-ce... qu'est-ce qui m'ar... rive ?

— J'ai vidé une boîte de somnifères de ma mère dans ton verre. Je ne veux pas laisser passer une occasion pareille ! ricane Charline.

Tu t'écroules sur la moquette.

— Tu peux entrer, papa ! lance Charline.

Un homme te retourne, te fouille et te prend le diamant. Tu perds connaissance en te demandant ce qu'ils vont faire de toi.

Tu as PERDU !

*Tu aurais mieux fait de ne pas montrer le diamant et de ne rien dire, chapitre 18.*

*Tu aurais aussi pu choisir un autre compagnon, chapitre 4.*

# 49

Tu as rempli ta mission ! Des gardes de l'entrée au capitaine, puis au commandant, au général et au ministre, te voilà maintenant face au président de la nouvelle république du Sougo, auquel tu remets solennellement le diamant rose de la reine Glabah, volé il y a longtemps par la tribu owu et retrouvé par ton père dans le sanctuaire secret. Le président donne des ordres. En un instant une cellule de crise est organisée. Ton père est un bienfaiteur. Le président fera tout pour le délivrer :

— Nous allons l'échanger contre un chef révolutionnaire que nous gardons prisonnier. S'ils refusent, nous leur fermerons notre frontière.

*Va chapitre **39**.*

**50**

– Je veux aller à Sougoville ! lances-tu en agitant le billet.

Le chauffeur te regarde de haut :

– Sougoville, c'est loin ! Et c'est trois mille.

Tu n'as pas le choix. Ce type est un voleur mais c'est le seul taxi disponible à des kilomètres à la ronde. Tu lui montres les billets mais tu ne les lui donnes pas. Tu grimpes dans la voiture.

Le taxi démarre.

– Il y a eu un attentat, dit-il en allumant la radio. Il va y avoir des barrages.

Il te regarde dans le rétroviseur intérieur. Tu ne réponds rien, tu es sur tes gardes.

Le taxi évite les quartiers sensibles. Le chauffeur connaît son affaire. En moins d'un quart d'heure, la voiture sort déjà de la ville.

*Va chapitre* **69**.

# 51

La vieille femme a posé sa main sur ton front et cette caresse chaude te fait du bien. L'étrange litanie qu'elle récite te fait l'effet d'une berceuse divine. Ta tête dodeline. Dans un instant, tu vas dormir. Tu plonges dans un bain cotonneux. La douleur de ta cheville a disparu comme par miracle. Tu te sens bien et tu t'endors.

On te couche, on te fouille, mais tu t'en fiches, tu es bien, plus rien n'a d'importance. Cette vieille femme est un ange qui s'occupe de toi. Grâce à elle, tu vas retrouver ton père et, surtout, vous allez convoyer avec succès le diamant vers ses propriétaires légaux : le peuple de la nouvelle république du Sougo !

*Va chapitre **76**.*

Ton instinct te dit que cette famille n'est pas fiable. En jouant des poings et des pieds, tu parviens à ressortir. La famille te suit en hurlant que tu es une voleuse. Les voisins te poursuivent. Tu déboules dans une rue plus large encombrée de vélos et de scooters. Sans réfléchir au trafic intense, tu commences à traverser sans avoir vu l'avant d'un énorme autobus qui fonce vers toi !

Tu as PERDU !

*Tu aurais mieux fait de donner ton argent à l'homme aux cicatrices, chapitre **66**.*

*Tu aurais pu t'enfuir par la fenêtre de la vieille femme, chapitre **10**.*

*Tu peux aussi changer de compagnon, chapitre **4**.*

## 53

Tu ne fais plus confiance à personne. Tu cours dans la ruelle en serrant le diamant dans ta poche. Tu sautes sur un vélo appuyé contre la devanture d'un magasin. Le propriétaire sort de la boutique en hurlant. Pour lui échapper, tu pédales comme une folle en direction de la gare. Tu manques d'écraser une poule ; et toi tu manques de te faire écraser par une dizaine de voitures. La gare où tu arrives enfin est noire de monde. Tant mieux ! On te repérera plus difficilement dans cette foule.

Tu te faufiles entre les voyageurs, tête baissée, et te diriges vers le guichet. Heureusement que ton père t'a laissé de l'argent !

*Va chapitre **63**.*

# 54

— Laisse-moi réfléchir, dit Charline. Je suis coursière. Je distribue et j'envoie chaque jour des pièces détachées à travers le pays. Confie-moi ton diamant : je vais l'expédier par porteur à la présidence du Sougo !

— Tu es folle ! Une pierre pareille dans un colis ! Et la douane ? Et les employés véreux ?

Charline hausse les épaules et remet son casque :

— Bon... débrouille-toi toute seule, ce n'est pas mon problème. Salut !

— Tu ne vas quand même pas m'abandonner ici, dans un endroit inconnu ?

— Alors, viens chez moi. On discutera.

*Va chapitre 12.*

— Mon père n'est pas archéologue. Et ce n'est pas mon père d'ailleurs. C'est un agent secret qui travaille pour la France.

La famille de Charline te contemple avec des yeux ronds.

— Et toi ? Qui es-tu ? souffle le beau Wilfried.

— Je suis agent secret, moi aussi. Je sers de couverture à mon faux père.

— Agent secret ? Si jeune ? s'étonne la mère.

— Je suis orpheline. J'ai été recrutée très jeune. C'est moi qui dois maintenant donner les renseignements au président du Sougo. Si vous vous débrouillez pour m'emmener là-bas, la France vous récompensera. Je peux me cacher dans un colis. Vous n'avez pas une moto à envoyer à Sougoville ?

*Va chapitre* **24**.

# 56

L'homme et le garçon attendent ta réponse. Comment vas-tu t'en sortir ?

– Oui, murmures-tu. Moi, je me suis enfuie. Mais mon père, malade, a été emmené.

– Où est le diamant ? demande l'homme.

– Mon père l'a caché sur lui. Ils l'ont certainement trouvé à l'heure qu'il est.

– Humpf ! soupire l'homme en se laissant tomber sur un tabouret de bois. Tu es trop dangereuse pour rester ici.

– Je vous en prie ! J'ai de l'argent !

Tu sors tes billets. L'œil de l'homme brille :

– Donne-les-moi !

– D'accord, mais à condition que vous m'emmeniez à Sougoville !

– Tu crois que tu es en position pour négocier, pauvre petite innocente ?

*Continue chapitre* **64**.

# 57

L'homme au panama est déjà au milieu de la route. Toi, tu enfonces ta main sous le dossier de ton siège. Tu ne peux pas laisser la pierre précieuse ici. L'homme se tourne vers toi.

– Qu'est-ce que tu fiches ? hurle-t-il au milieu de la route défoncée.

Tu t'acharnes. Ça y est ! Tu tiens enfin ton diamant. Tu l'arraches de sa cachette et tu pousses sur ta portière pour l'ouvrir. Mais elle est coincée !

Au même instant, tu aperçois la Jeep sur ta gauche et le soldat qui vise le 4 x 4 avec son lance-roquette.

Tu escalades le siège du conducteur pour sortir de l'autre côté.

Baoum ! Tu as PERDU !

*Tu aurais mieux fait de garder le diamant sur toi, chapitre* **47**.

# 58

C'est trop dangereux de rester sous le matelas. Tu le repousses et tu sors de ta cachette. Personne ! C'est une chance incroyable ! Tu entends des cris, des appels et une clameur qui ne te disent rien de bon. Tu prends une nouvelle fois tes jambes à ton cou. Tu entres dans de nouvelles venelles plongées dans l'ombre. Des femmes te regardent passer. Soudain, un grand bras noir surgit d'une maison et t'attrape brutalement. Tu n'as pas le temps de résister que déjà tu es projetée à l'intérieur et que la porte claque.

Tu es tombée contre un vieux fauteuil de rotin. Tu te retournes. Un grand type te sourit mais la gueule du pistolet qu'il brandit vers toi, elle, ne sourit pas.

*Va chapitre **85**.*

– Où m'emmenez-vous ? demandes-tu en te cramponnant à la poignée de la porte.

– À l'ambassade américaine. Nous y serons à l'abri.

Il appuie sur l'accélérateur et manque d'écraser une charrette de potier.

L'homme est gros et habillé avec goût. Son pantalon de lin crème, sa chemise et ses poignets sont impeccables. Seule une auréole de sueur sous ses bras témoigne de la chaleur et de son excitation.

– Et mon père ? Que vont-ils faire à mon père ? hurles-tu.

– Ne t'inquiète pas pour lui. Ils ne le tueront pas s'il n'a pas le diamant. Il n'a pas le diamant, n'est-ce pas ?

Tu te recroquevilles sur ton siège.

*Va chapitre* **3**.

# 60

Tu erres dans le quartier européen. Voilà l'ambassade des États-Unis ! L'homme au panama blanc t'a dit qu'il était américain. Tu dois aller parler aux gardes de l'entrée ! Même sans papiers, tu pourras pénétrer à l'intérieur.

Tu traverses la route. Une Jeep te barre soudain le passage. Tu es enlevée. La Jeep repart sur les chapeaux de roue.

On te fouille durement. Le diamant est vite retrouvé. Tu hurles.

— Les crocodiles du parc vont se régaler avec cette voleuse ! crie le chef. En route !

Tu as PERDU !

*Et si tu étais sortie plus tôt de sous le matelas, chapitre 58 ?*

*Et si tu étais restée dans le 4 x 4, lors de l'accident, chapitre 33 ?*

# 61

– Alors, tu me le donnes ?

Tu es terrorisée par l'Américain. Tu fouilles dans ta poche et lui tends le diamant rose enveloppé dans son vieux mouchoir. D'un geste nerveux, tout en continuant à conduire, l'homme enlève le mouchoir pour admirer la pierre précieuse.

– C'est bien elle, souffle-t-il. Ton père a fait du bon travail. Il l'a volé dans un vieux sanctuaire owu. Et nous, nous en avons besoin pour alimenter les révolutionnaires de Mbwaba.

– Non, il faut rendre le diamant au Sougo, c'est ce pays qui en est le propriétaire.

– Petite imbécile ! répond l'homme. Tu ne connais rien à la politique. Et ton père non plus d'ailleurs.

*Va chapitre 80.*

# 62

Enfermée dans la caisse de la moto, tu roules vers Sougoville. Dans quelques heures, tu sortiras de la caisse trafiquée car le père de Charline a ménagé une ouverture. Tu donneras le diamant et tu enverras les secours diplomatiques sauver ton père... Des coups de feu ! Le camion s'arrête. Horreur ! Ce sont des voleurs ! Quelle tête vont-ils faire quand ils te verront dans la caisse à la place de la moto ?

Tu as PERDU !

*Tu aurais mieux fait de tout avouer à la famille de Charline, chapitre **29**.*

*Tu aurais pu montrer le diamant à Charline, chapitre **32**.*

*Et si tu changeais de compagnon, chapitre **4** ?*

# 63

– Un billet pour Sougoville !

La fille qui se trouve derrière le guichet décroche aussitôt le téléphone pour prévenir la police. Tu fonces à travers la foule vers le quai. Un train démarre justement dans un bruit de ferraille. Tu te précipites. Par les fenêtres et les portes ouvertes, des dizaines de mains secourables se tendent vers toi. Tu saisis une main et fais un grand bond. Mais ta main moite glisse.

Horreur ! Tu dérapes ! Tu culbutes en avant sur les rails et sous les roues !

Tu as PERDU !

*Si tu étais passée par la porte noire, chapitre* **43** *?*

*Si tu étais restée sous le camion, chapitre* **25** *?*

*Si tu changeais de guide d'aventure, chapitre* **4** *?*

# 64

Sur un signe de l'homme, le garçon t'arrache les billets de la main. Il t'apporte ensuite une cruche d'eau et des galettes que tu dévores aussitôt.

– Nous allons attendre la nuit et nous t'emmènerons quelque part, dit l'homme. Pour l'instant, dors.

Le garçon se couche à tes côtés mais, alors que tu as plongé dans le sommeil, le contact de sa main te réveille. Il est en train de fouiller tes poches à la recherche d'autres billets ! Tu te forces à respirer régulièrement pour ne pas l'alerter. Tu as dissimulé le diamant dans ton soutien-gorge. Il ne va pas oser chercher là...

Que dois-tu faire ?

*Attendre qu'ils t'emmènent comme prévu, chapitre* **75** ?

*Filer en douce dans la nuit, chapitre* **79** ?

# 65

Ce n'est pas normal. Ta blessure ne saignait pas autant tout à l'heure !

Les passants te regardent. Ils s'interpellent. Qui est cette jeune Blanche blessée qui court sans savoir où aller ? Le décor commence à tourner autour de toi. Tu te sens faible, de plus en plus faible. La vieille femme a craché sur la blessure et, en faisant cela, elle a pris le pouvoir sur toi. De là-bas, elle commande l'écoulement de ton sang.

Ta tête devient lourde, tout devient flou. Tu bascules en avant et tu tombes.

– Le diamant... papa... murmures-tu en griffant le sol.

Le néant s'abat sur toi. Tu perds connaissance.

*Va chapitre* **70**.

# 66

C'est une occasion inespérée. La vieille femme t'a conduite à la personne qu'il fallait ! Ton père serait fier de toi. Tu sors ta liasse de mille wuoros et la donnes à l'homme aux cicatrices qui arbore un sourire ravi et te remercie en te faisant un signe de tête. Les deux garçons derrière toi approuvent aussi. Quant à la vieille femme, elle t'embrasse :

— Je te laisse en sa compagnie. Il t'emmènera demain.

Il ne te reste plus qu'à attendre.

Le soir, tu manges avec ta nouvelle famille. Personne ne te regarde. Tu te couches dans un coin. Tu as très peur d'être tombée sur des voleurs qui vont te fouiller. Mais tu es tellement fatiguée que tu t'endors aussitôt.

*Va chapitre **84**.*

# 67

Tu ne peux pas lutter contre un homme armé. Tu lèves les mains et sors dans la rue. Des soldats s'emparent de toi et te passent les menottes. Tu es traînée jusqu'à un fourgon militaire. À l'intérieur, une forme blanche s'agite sur un brancard.

– Papa !

Tu te couches près de lui en pleurant. Au moins, tu l'as retrouvé ! Tu sanglotes en lui racontant comment tu as perdu le diamant. Il te caresse pensivement les cheveux en t'écoutant :

– Le principal, c'est que tu sois en vie, ma chérie. J'ai été fou de te confier cette mission, le diamant n'a pas d'importance.

*Le fourgon démarre, vous voilà en route pour le chapitre **77**.*

# 68

Tu te rues vers la porte, que tu ouvres. La femme est trop vieille pour se déplacer aussi vite que toi. D'après elle, l'homme aux bijoux habite à deux rues de là. Tu te lances à l'aveuglette. Voilà des boutiques faites de bric et de broc. Tu entres dans une minuscule bijouterie sale. Un vieux Noir est assis devant son établi, une loupe vissée sur l'œil.

– Rendez-moi la pierre que la vieille femme vient de vous apporter ! Elle me l'a volée !

L'homme retire sa loupe et te regarde en souriant :

– Très beau quartz. Trois cents wuoros !

Il te montre la pierre qu'il a disposée sur un coussin de velours mité. Ce crétin n'a même pas vu que c'était un diamant !

*Va chapitre **83**.*

# 69

La voiture prend de la vitesse dans une savane pelée couverte de détritus que fouillent de grands chiens jaunes. Un nuage de poussière s'élève derrière le taxi.

Au loin, tu vois soudain des véhicules arrêtés et des soldats qui font déjà des signes.

– Faites demi-tour ! hurles-tu.

– Je ne veux pas me faire tirer dessus, répond le chauffeur. Vous leur donnerez quelques billets et ils nous laisseront passer.

Mais quand le taxi stoppe, tu comprends vite que les soldats te cherchent, toi !

Tu as PERDU.

*Si tu avais appelé le garçon, chapitre 44 ?*

*Si tu étais sortie seule de sous le camion, chapitre 30 ?*

*Si tu changeais de compagnon, chapitre 4 ?*

# 70

Quand tu ouvres les yeux, la vieille femme est penchée sur toi. Elle tient le diamant entre ses doigts griffus :

– Voleuse ! Ce diamant ne devait pas sortir du sanctuaire de la reine Glabah ! Il est à nous, la tribu owu ! Tu entends ? Regarde-moi dans les yeux. Esclave, tu n'es plus toi. Tu es à moi.

Ses pupilles s'agrandissent jusqu'à devenir un lac noir qui t'engloutit lentement. Tu as beau lutter contre l'affreuse hypnose, rien n'y fait. Ta volonté s'effiloche. Tu plonges dans le néant. Tu es devenue un zombie.

Tu as PERDU !

*Et si tu avais accepté la main sur le front, chapitre 51 ?*

*Et si tu avais été voir la vieille au lieu de t'enfuir par la fenêtre, chapitre 14 ?*

L'homme aux cicatrices doit être habitué à faire le trajet avec sa cargaison de tissus. Il attend très peu de temps aux barrages et plaisante avec les soldats. Toi, tu t'es enfoncée au plus profond des ballots de tissus en priant le ciel que l'homme ne soit pas un traître.

Jamais tu n'es sortie de ta cachette. Même si l'homme s'est arrêté parfois, il n'a jamais ouvert son camion. Tu as dû faire pipi dans un coin et ton ventre crie famine. Mais au bout de douze heures de route, le camion s'est arrêté, la bâche s'est soulevée et l'homme a dit :

— Tu es arrivée. J'ai gagné mon argent.

Tu as sauté du camion et tu es partie dans les rues de Sougoville à la recherche du palais présidentiel.

*Va chapitre **49**.*

# 72

Le 4 x 4 pulvérise le mur d'un garage dans un choc terrible. Le moteur s'enflamme. Les murs s'écroulent. Effondré sur le tableau de bord, l'homme ne bouge plus. Est-il mort ? Toi, tu as toujours le diamant dans ta poche. Tu sors du véhicule par le pare-brise éclaté. De l'essence s'écoule à gros bouillons de plusieurs bidons éventrés. Les flaques s'étalent sur le sol. Vite, il faut que tu t'enfuies avant que...

Trop tard. Les flammes du 4 x 4 atteignent l'essence.

Baoum ! Tu as PERDU !

*Et si tu avais donné le diamant, chapitre **61** ?*

*Et si tu t'étais enfuie lors de l'accident du 4 x 4, chapitre **27** ?*

*Et si tu changeais de compagnon d'aventure, chapitre **4** ?*

# 73

– Le diamant n'est pas dans le 4 x 4 ! Il est là, coincé sous le dossier du fauteuil.

L'homme te fait tomber et enfonce ses doigts dans la cachette. Il en sort le diamant dans son mouchoir sale. Bientôt la pierre rose brille de mille feux. L'homme l'élève au-dessus de sa tête.

– Enfin ! souffle-t-il. Enfin !

Ensuite, l'homme s'approche de toi avec un grand poignard. Il va te tuer ! Mais il coupe le ruban adhésif.

– Va ! Disparais et ne dis rien car nous te retrouverons si tu parles.

Tu t'en vas, hagarde, le corps cassé. Tu es encore vivante mais tu n'as pas réussi ta mission. Tu as PERDU !

*Si tu étais restée sous le matelas, chapitre **37** ?*
*Si tu étais restée dans le 4 x 4, chapitre **33** ?*

# 74

L'homme a saisi un ruban adhésif mais tu as eu le temps de cacher le diamant. Il s'approche de toi et, sans ménagement, il te tire à lui et te fouille d'une main experte.

– Où est le diamant ? hurle-t-il.

– Je ne sais pas !

– Vipère ! Je sais que les soldats ne l'ont pas trouvé. C'est toi qui l'as, il n'y a que cette solution.

Il te gifle si fort que tu tombes sur le sol. Il te relève.

– Où est-il ? vocifère-t-il en te secouant comme un prunier.

– Dans... dans le 4 x 4 de l'Américain. Je l'ai caché sous le siège avant.

L'homme est troublé.

*Va chapitre* **81**.

# 75

Quand l'homme te réveille, il fait encore nuit. Cinq heures sont passées.

— Viens ! commande-t-il.

Tu cherches le garçon des yeux. Il est là, derrière toi. Il a un pistolet à la ceinture !

L'homme te conduit à la porte. Il siffle. Un garde sort de l'ombre.

— Suis-le.

Tu marches dans des rues désertes avec le garde et le garçon. Une Jeep chargée de soldats passe à toute vitesse. Le garde s'arrête devant un rideau de fer rouillé. C'est un garage. Il frappe. Le rideau se soulève de cinquante centimètres. Vous vous glissez dessous.

— C'est elle, dit le garde.

*Continue chapitre* **82**.

# 76

Tu te réveilles sur une mauvaise paillasse. La vieille femme est accroupie à côté de toi. Tu as un linge humide sur le front. Tu tâtes ta poche de pantalon. Horreur ! Elle est vide et plate ! Le diamant n'est plus là.

– Où est ma pierre ?

– Je l'ai vendue, ma pauvre petite. Elle était bien belle, alors je suis allée voir le type des bijoux qui habite à deux rues de là. Il m'a dit que c'était du quartz et il m'en a donné cent wuoros. J'en ai bien besoin, ma pauvre petite. Je suis pauvre et je t'ai soignée.

Tu veux te relever mais la vieille femme t'en empêche :

– Tu as attrapé la fièvre. Reste avec moi, tu m'as payée maintenant. Je vais m'occuper de toi.

*Dans quel piège es-tu tombée ? Va chapitre 87.*

# 77

– Ils vont t'interroger dès que nous serons arrivés, murmure ton père dans le fourgon. Dis-leur la vérité. Ils retourneront chez cet homme et récupéreront leur satané diamant.

– Mais le bijoutier ne sait même pas que c'est un diamant ! Il croit que c'est du quartz. Nous pourrions dire que nous l'avons jeté dans les W.-C. de l'hôtel. Le temps qu'ils démontent toute la tuyauterie, nous aurons peut-être une chance de nous enfuir.

Ton père, épuisé, fait non de la tête.

Tu as PERDU mais tu as retrouvé ton père et sauvé ta vie.

*Si tu avais été voir la vieille femme au lieu de t'enfuir par la fenêtre, chapitre 14 ?*

*Si tu changeais de compagnon, chapitre 4 ?*

# 78

— Je travaille à l'hôpital, dit la vieille femme. Je te ferai entrer, tu pourras retrouver ton père et t'enfuir avec lui.

— Et le diamant ?

— Il n'y a jamais eu de diamant, ma fille. Ton père est fou ou à moitié aveugle. C'est du quartz ! Tu peux faire confiance à l'homme aux bijoux.

La vieille femme te tend un nouveau piège. À l'hôpital, les soldats s'empareront de toi.

Tu pleures de dépit. Tu as PERDU.

*Tu aurais mieux fait d'aller voir l'homme aux bijoux, chapitre **68**.*

*Et si tu avais fait confiance à cette vieille femme, chapitre **51** ?*

*Et si tu ne t'étais pas enfuie par la fenêtre, chapitre **14** ?*

*Et si tu changeais de compagnon, chapitre **4** ?*

# 79

Tout est redevenu calme. L'homme et le garçon ronflent à tes côtés. Il faut partir avant qu'il ne soit trop tard ! Tu te glisses jusqu'à la porte. Horreur : il y a un garde armé ! Sa cigarette brille dans la nuit comme une luciole. Il s'éloigne. Tu te lances à l'aveuglette mais... tu heurtes une grande lessiveuse abandonnée devant la maison !

Le garde fait volte-face et te tire dessus...

Tu as PERDU.

*Tu aurais dû attendre que les révolutionnaires t'emmènent, chapitre 75.*

*Et si le garçon t'avait abandonnée dans la rue, chapitre 34 ?*

*Et si tu étais restée sous le camion, chapitre 5 ?*

*Tu peux changer de Destin et de compagnon, chapitre 4.*

Le 4 x 4 freine. L'homme ouvre ta portière.

– Qu'est-ce que vous faites ? hurles-tu. Les soldats vont nous rattraper !

– Dégage.

– Je vous en prie ! Pitié ! Pitié !

Tu t'agrippes à la ceinture de sécurité en trépignant mais l'agent secret est un professionnel. Il te balance hors du 4 x 4 en trois dixièmes de seconde.

Et, alors que tu regardes le véhicule s'éloigner dans un nuage de poussière, tu te dis que tu as PERDU.

*Tu aurais dû refuser de donner le diamant, chapitre **38**.*

*Tu peux aussi changer de compagnon d'aventure, chapitre **4**.*

# 81

Maintenant, tu es attachée sur le fauteuil. L'homme téléphone puis raccroche :

— Le 4 x 4 a déjà été pillé par la foule. L'Américain a été fouillé et emmené. Si ton diamant était sous le siège, il s'est envolé désormais. Nous ne le retrouverons jamais.

S'il savait que le diamant se trouve à moins de deux mètres de lui, il ferait une autre tête !

Tu tires en vain sur tes poignets entravés.

— Qu'allez-vous faire de moi ?

Il ne répond pas mais tu sais que tu as PERDU !

*Il te reste une chance : avoue où se trouve le diamant, chapitre 73.*

# 82

— Où m'emmenez-vous ? demandes-tu au chauffeur du camion dans lequel on t'a fait monter, un grand maigre en salopette.

— À Sougoville, comme demandé.

Tu soupires de soulagement. Tu as bien fait d'accorder ta confiance aux révolutionnaires. Mais, quelques kilomètres plus loin, le camion se gare devant le quartier général des militaires !

— Merci pour la récompense, ricane le chauffeur en t'assommant.

Tu as PERDU !

*Tu aurais dû t'enfuir, chapitre **79**.*

*Tu aurais pu laisser le garçon t'abandonner, chapitre **34**.*

*Tu aurais pu sortir seule de sous le camion, chapitre **30**.*

*Sinon, change de compagnon, chapitre **4**.*

# 83

Trois cents wuoros ! Tu en a mille sur toi ! Tu fouilles tes poches. Hélas ! La vieille femme t'a aussi volé tes billets.

– Cette pierre est à moi !

– Trois cents wuoros, jeune fille.

C'est une somme ridicule et tu ne l'as pas ! Quelle rage ! Tu veux prendre le diamant. Le vieux t'en empêche en braquant sur toi un énorme revolver rouillé. Que faire ? Même myope, l'homme aux bijoux ne peut pas te rater, il est tout près. Mais tu as des doutes sur cette arme. Elle ne doit plus fonctionner.

*Est-ce que tu tentes le tout pour le tout ? Va chapitre **86**.*

*Est-ce que tu t'en vas sans reprendre le diamant ? Va chapitre **67**.*

Une main te secoue et te réveille. C'est l'heure. Il fait encore nuit. L'homme aux cicatrices te fait signe de le suivre. Vous sortez dans la ruelle et vous marchez longtemps. Quelques chiens aboient sur votre passage. L'homme te montre un vieux camion rouillé garé devant un magasin de tissus :

– C'est celui-là. Fais le tour du quartier et attends-moi plus loin. Je te prends au passage.

Tu es bien obligée de lui faire confiance. Tu obéis donc et, quelques instants plus tard, tu es cachée dans des ballots de tissus, brinquebalée dans le camion qui t'entraîne vers Sougoville, but de la mission que t'a confiée ton père.

*Y arriveras-tu ? Va chapitre **71.***

# 85

De son autre main, le grand Noir sort un portable de sa poche et compose rapidement un numéro avec son pouce.

– Bouge pas ou je te troue, gronde-t-il.

Tu t'assois lentement sur le fauteuil sans le quitter des yeux. Sur qui es-tu tombée ?

L'homme parle en dialecte, et tu ne comprends rien à ce qu'il dit. Le diamant déforme ta poche. Comment le cacher sans qu'il voie ton geste ? Impossible. L'homme coupe la communication et rempoche son portable :

– Tu vas attendre gentiment ici. Je vais juste t'attacher sur le fauteuil.

Il se retourne vers des étagères. Tu as juste le temps de retirer le diamant et de l'enfoncer entre l'assise et le dossier du fauteuil de rotin.

*Va chapitre* **74**.

# 86

Tu es jeune et vigoureuse. Ce n'est pas un vieux bijoutier myope avec une pétoire rouillée qui va te faire peur. Tu lui adresses ton plus charmant sourire. C'est alors qu'il baisse sa garde. Tu en profites et bondis comme un puma par-dessus l'étalage.

Bang ! fait le revolver en crevant le plafond.

Tu t'empares du diamant, mais déjà le canon du revolver est posé sur ta tempe.

C'est fou ce que ce vieil homme peut se montrer rapide ! Il est déjà en train d'appeler la police. Tu te dis que tu as PERDU !

*Tu aurais mieux fait de ressortir sans rien tenter face à la menace, chapitre* **67**.

*Tu aurais pu rester avec la vieille femme, chapitre* **78**.

*Ou alors, tu n'aurais pas dû t'enfuir par la fenêtre, chapitre* **14**.

# 87

– C'est faux ! Ce n'était pas du quartz mais un diamant ! Vous me mentez, ou alors c'est cet homme aux bijoux qui ment ! Mon père n'aurait jamais fait une erreur pareille. Il connaît bien les pierres et leur valeur. Surtout celle du diamant rose de la reine Glabah !

– Qu'est-ce que tu dis ? souffle la vieille femme. Ce diamant n'existe pas. Il a été englouti dans l'ancien sanctuaire owu il y a des centaines d'années. C'est une légende.

Tu te mords les lèvres. Tu as trop parlé. Que dois-tu faire ?

*Tu restes avec la vieille femme, chapitre **78** ?*
*Ou tu la quittes immédiatement pour te rendre chez l'homme aux bijoux, chapitre **68** ?*

# 88

Tu fouilles tes poches et tu sors ta liasse de mille wuoros. L'œil de la vieille femme s'allume :

– Oui, je crois que je peux faire quelque chose pour toi. Mets ce boubou et ce voile, et viens avec moi.

Tu te déguises comme demandé et tu la suis en passant par une petite porte de derrière. Des poules maigres s'écartent. La femme te précède dans un entrelacs de ruelles. Tu baisses la tête pour que le voile ne révèle pas tes traits. Tu sens toujours le diamant dans ta poche.

Ta bienfaitrice soulève une épaisse tenture ornée de motifs rouges. Vous entrez dans un local qui te paraît très sombre après la luminosité de l'extérieur.

*Va chapitre* **41**.

# Test

## Comment réagis-tu face à l'inconnu ?

MAINTENANT QUE TU AS RENDU LE DIAMANT AU PRÉSIDENT DU SOUGO, FAIS CE TEST POUR SAVOIR SI TU N'AS PAS PEUR DE L'AVENTURE !

### 1. Tes vacances idéales :

✿ Dans une grande capitale. À toi les musées !

◗ Chez ta grand-mère, au bord de la mer, comme tous les ans.

✚ Ton rêve, c'est camper dans le désert !

### 2. Le matin, tu vas à l'école...

✚ À vélo, en bus, à cloche-pied, ça dépend de ton humeur et du temps.

◗ En voiture. Tes parents t'emmènent, l'école est sur le chemin de leur boulot.

✿ À pied. Tu passes prendre ta meilleure copine au passage, l'école est au bout de la rue.

### 3. Ton animal de compagnie :

✚ Un petit chien. Mais tu rêves d'avoir un âne et une vache dans un grand pré !

✿ Des petites tortues d'eau, toutes mignonnes dans leur vivarium.

◗ Un robot-chien. Au moins, pas besoin de le sortir trois fois par jour !

### 4. Une balade dans la forêt. Où manger ?

◗ Il paraît qu'il y a une petite auberge au bout du chemin...

✿ Après avoir mangé du pain et du fromage, vous cueillerez des fruits pour le dessert.

✿ Tu as tout prévu : à manger pour un régiment, la glacière, la nappe, les assiettes, les verres, et les couverts en plastique...

### 5. Pendant le cours de sport :

✿ Cette année, vous pouvez faire de la danse pendant que les garçons font du rugby... ouf !

◗ Le cours de quoi ?!

✿ Une sortie voile est prévue le mois prochain. Chouette, tu rêves d'évasion !

### 6. Pendant une sortie de classe, tu perds tes camarades et le professeur !

◗ Tu pleures sur le bord d'un trottoir.

✿ Tu retrouveras tout le monde au collège à l'heure du déjeuner. En attendant, tu fais du shopping !

✿ Heureusement, tu as un téléphone portable. Tu appelles vite tes parents !

## Résultats

**Tu as une majorité de ◗ :**

Pour toi, l'aventure, c'est aller au bout de la rue !
Tu as ton univers, avec tes amis, ta famille,
tes activités. Alors pourquoi s'aventurer
dans des contrées inconnues ? Tout ce que
tu ne connais pas t'effraie. Pourtant, quand tu vois
tes amis camper, ne serait-ce que dans le jardin,
tu les envies... Finalement, tu aimerais bien découvrir
des lieux, des gens, des paysages, autrement
que par l'écran de ta télé ! Commence par changer
de trottoir pour aller en cours, tu verras, c'est sympa,
et l'inconnu devient vite connu si on prend le temps
de s'y intéresser !

**Tu as une majorité de ✿ :**

Tu n'es ni aventurière, ni casanière.
Tu es juste organisée, et tu t'adaptes !
Passer tout l'été chez tes grands-parents ? Ça te plaît !
Partir en famille au Brésil en 2CV ? Pourquoi pas,
à condition de bien préparer le voyage.
La sécurité avant tout !
Tu peux te lancer à fond dans une aventure trépidante
(sauter en parachute pour plaire au plus beau garçon
du collège !) ; mais après, tu as besoin de retrouver
ton univers, tes amis, ta chambre, le calme !

**Tu as une majorité de ♣ :**
Tu es une vraie aventurière !
Et c'est une chance !
Dans une grande ville ou dans une grande forêt,
tu es avant tout curieuse.
Tu es libre d'aller où tu veux, de faire ce que tu veux.
Tu serais prête à partir en Roumanie à pied !
Dormir à la belle étoile, rencontrer des gens
qui parlent une autre langue, croiser des bêtes
énormes, ça ne te fait pas peur, ça t'intrigue !
L'important, c'est que tu t'amuses ! Du moment
que tu es avec tes amis et ta famille, tu te sens
chez toi partout !

# Notes

CES PAGES SONT POUR TOI. TU PEUX Y NOTER TON PARCOURS AU FUR ET À MESURE. COMME ÇA, SI TU NE GAGNES PAS DU PREMIER COUP, TU POURRAS RECOMMENCER SANS FAIRE LES MÊMES ERREURS !

_____

_____

_____

_____

_____

_____

_____

_____

_____

_____

_____

_____

_____

# Notes

# Notes

# Notes

# Notes

# Collection

### À toi de devenir TOP MODEL

Tu rêves de défiler sur les podiums ?
Fais les bons choix, et prouve que
tu es prête à tout pour être top model.
À toi de jouer !

### À toi de devenir BABY-SITTER

Ta mission : t'occuper de cinq enfants,
nuit et jour, pendant quinze jours.
Fais les bons choix, et prouve que
tu es une vraie baby-sitter.
À toi de jouer !

### À toi de devenir AVENTURIÈRE

Ta mission : remettre le diamant rose
au président du Sougo, un pays en guerre.
Fais les bons choix, et prouve que
tu es une vraie aventurière.
À toi de jouer !

### À toi de devenir POP STAR

Tu rêves de devenir
une chanteuse célèbre ?
Fais les bons choix, et prouve que
tu es une vraie graine de star.
À toi de jouer !

Lito
41, rue de Verdun  94500 Champigny-sur-Marne
Imprimé en UE
Loi n° 49-956 du 16 juillet 1949 sur les publications destinées à la jeunesse
Dépôt légal : février 2008